Helô bawb!

Santa ydw i! Mae'n siŵr eich bod chi'n gyffro i gyd nawr fod y Nadolig bron â chyrraedd. Dyma'r amser i chi anfon eich llythyr arbennig at Santa.

Mae croeso i chi ddefnyddio'r papur ysgrifennu sydd yn yr amlen fawr.

Cofiwch ddefnyddio un o'r sticeri arbennig ac ysgrifennu fy nghyfeiriad ar yr amlen:

Santa Clos
Pegwn y Gogledd

Ewch ati nawr ar unwaith er mwyn i fi gael digon o gyfle i baratoi'r anrhegion!

Nadolig Llawen!

Santa Clos
xx

Ho, ho, ho!

I Lynn, gyda chariad
~ K W

I fy Ema a Mima
~ P L

Cyhoeddwyd gyntaf ym Mhrydain yn 2012
gan Little Tiger Press Cyf.,
1 The Coda Centre, 189 Munster Road, Llundain SW6 6AW

Cyhoeddwyd gyntaf yng Nghymru yn 2012
gan Wasg Gomer, Llandysul, Ceredigion SA44 4JL
www.gomer.co.uk

ISBN 978 1 84851 481 2

ⓗ y testun: Kathryn White, 2012 ©
ⓗ y lluniau: Polona Lovsin, 2012 ©
ⓗ y testun Cymraeg: Sioned Lleinau, 2012 ©

Mae Kathryn White a Polona Lovsin wedi datgan eu hawl
dan ddeddf Hawlfraint, Dylunio a Phatentau 1988
i gael eu cydnabod fel awdur ac arlunydd y llyfr hwn.

Dymuna'r cyhoeddwyr gydnabod cymorth Adrannau Cyngor Llyfrau Cymru.

Argraffwyd yn China • LTP/1400/0386/0512

Llythyr Santa

Kathryn White   Polona Lovsin

Addasiad Sioned Lleinau

Gomer

Roedd Arth Bach yn brysur yn chwarae yn yr eira
pan chwythodd llythyr heibio iddo ar y gwynt
a disgyn yn yr eira gerllaw. Wrth iddo gydio
ynddo, dechreuodd wichian yn gyffro i gyd.

'Llythyr i Santa yw e!' meddai. 'O diar! Mae'n rhaid ei fod wedi mynd ar goll. Os na fydd hwn yn cyrraedd Santa, bydd rhywun heb anrhegion Nadolig eleni!'

Felly dyma fe'n rhuthro draw i dŷ Cwningen i chwilio am help.

'Cwningen!' llefodd Arth Bach wrth redeg
i fyny'r llwybr. 'Mae rhywun wedi colli ei
lythyr at Santa! Rhaid i ni helpu ar unwaith!'
    'O! Ffwdan fflwfflyd!' meddai hithau.
'Am gyffro!'

'Rhaid i ni fynd â'r llythyr at Santa,' meddai
Cwningen.

'O! Am antur!' gwenodd Arth Bach wrth i'r
ddau baratoi'n brysur ar gyfer eu taith.

'Dyma'r ffordd!' meddai Cwningen
wrth i'r ddau gerdded drwy'r eira
crensiog oedd yn drwch dros bob man.
Ymlaen â nhw dros y bryniau ac ar hyd
y lonydd troellog hir. Cyn bo hir, dyma nhw'n
cyrraedd glan y môr mawr sgleiniog.

Yno, roedd cwch rhwyfo. Felly, i ffwrdd ag
Arth Bach a Cwningen dros y tonnau.
I fyny ac i lawr, i fyny ac i lawr â nhw,
allan i'r môr mawr agored.

'Edrych!' meddai Cwningen.
'Pengwins! Helô, Bengwins!
Ydych chi'n gwybod y ffordd
i dŷ Santa?'

'Wel ydyn, wrth gwrs!' meddai'r pengwins bach
bywiog. 'I fyny ar gopa'r mynydd uchel acw. Pob lwc!'
    Felly dyma Arth Bach a Cwningen yn rhwyfo
ymlaen tua'r lan.

Dringodd y ffrindiau bach yn uwch ac yn uwch i fyny llethrau serth y mynydd. Dechreuodd yr eira ddisgyn a'r gwynt chwibanu.

'Ble nesa?' holodd Arth Bach.

'Ar hyd y llwybr,' daeth sŵn hwtian uwchben.

'O diolch, Tylluan!' meddai Cwningen.

Ymlaen ag Arth Bach a Cwningen ar hyd y llwybr. Ond roedd hi'n dechrau nosi ac oeri. Cyn bo hir, roedd y llwybr o'r golwg dan drwch o eira mân.

'O diar! Rhaid ein bod ni ar goll,' meddai Cwningen.

'Ddown ni byth o hyd i Santa mewn pryd,' meddai Arth Bach yn drist.

'Santa, ddywedoch chi?' meddai carw o'r coed gerllaw.

'Dwi ar fy ffordd at Santa nawr, felly neidiwch ar fy nghefn!'

Roedd Arth Bach a Cwningen yn gyffro i gyd wrth hedfan drwy'r awyr heibio i sêr y nos.

'Dyma wych!' sibrydodd Arth Bach.

Pan ddisgynodd Carw i'r ddaear unwaith eto, roedden nhw wedi cyrraedd tŷ Santa a'i oleuadau lliwgar yn disgleirio dros y lle.

Dyma Arth Bach a Cwningen yn rhuthro drwy'r drws.

'Santa!' gwaeddodd y ddau wrth redeg ato
i ddangos y llythyr.

'Wel, beth sydd gyda chi fan hyn?' meddai
Santa'n dyner. 'Chwarae teg i chi am ddod
yr holl ffordd i ngweld i. Mae'n siŵr eich
bod chi wedi cael tipyn o antur.'

Agorodd Santa'r amlen a dechrau
darllen y llythyr yn araf.

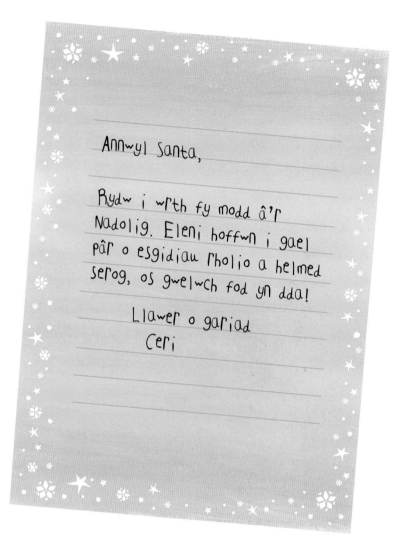

Annwyl Santa,

Rydw i wrth fy modd â'r
Nadolig. Eleni hoffwn i gael
pâr o esgidiau rholio a helmed
serog, os gwelwch fod yn dda!

Llawer o gariad
Ceri

'Wel, well i ni fwrw ati!' chwarddodd
Santa. 'Fyddech chi'n hoffi helpu'r
llygod bach gyda'r anrhegion?'
   'O, grêt!' meddai Arth Bach a
Cwningen yn un côr.

Roedd gweithdy Santa'n orlawn o deganau anhygoel. Roedd llygod bach yn rhuthro o un lle i'r llall yn peintio a phacio anrhegion.

Cyn bo hir roedd esgidiau rholio a helmed Ceri'n barod.

'Am hwyl!' meddai Cwningen wrth helpu
Arth Bach gyda'r rhuban.

Dyma Santa'n llwytho'r sled â'r holl anrhegion
a chyn bo hir roedden nhw'n hedfan fry yn yr awyr
dros drefi a phentrefi oedd yn drwch o eira.

'Daliwch yn dynn!' gwaeddodd Santa.

Gwyliodd Arth Bach a Cwningen wrth i Santa
ruthro lawr un simnai ar ôl y llall gan adael
anrhegion i fechgyn a merched bach ymhob man.

Pan gyrhaeddodd y sled dŷ Ceri, dyma Santa'n rhoi ei het am ben Arth Bach.

'Dy dro di yw mynd â'r anrheg nesa,' meddai.

Roedd Arth Bach wrth ei fodd. Dyma fe'n cripian ar flaenau ei draed i mewn i'r tŷ gan osod anrheg Ceri o dan y goeden Nadolig hardd.

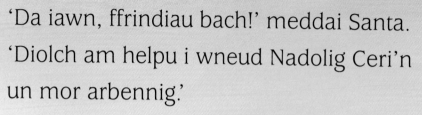

'Da iawn, ffrindiau bach!' meddai Santa.
'Diolch am helpu i wneud Nadolig Ceri'n
un mor arbennig.'

Roedd Arth Bach a Cwningen wrth eu bodd
wrth i Santa roi anrheg yr un iddyn nhw hefyd.

'Nadolig Llawen,' meddai Santa wrth wibio i ffwrdd ar ras yn ei sled.

Yn syth ar ôl deffro fore Nadolig dyma Arth Bach yn rhedeg draw i dŷ Cwningen.

Roedd y ddau ffrind wrth eu bodd yn chwarae gyda'u hanrhegion newydd ac yn sôn am eu hantur fawr.

'Dyma'r Nadolig gorau erioed!' gwenodd Arth Bach cyn rhoi cwtsh mawr i Cwningen.